토요일 아침

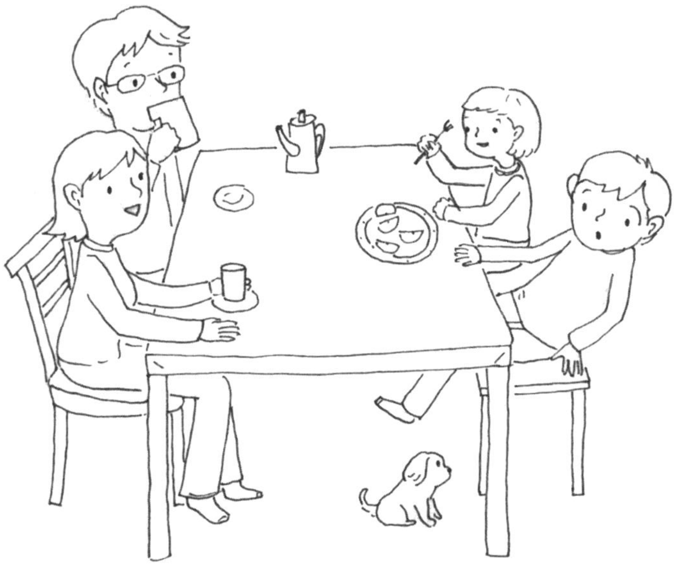

엄마와 아빠는
커피를 마셔요.

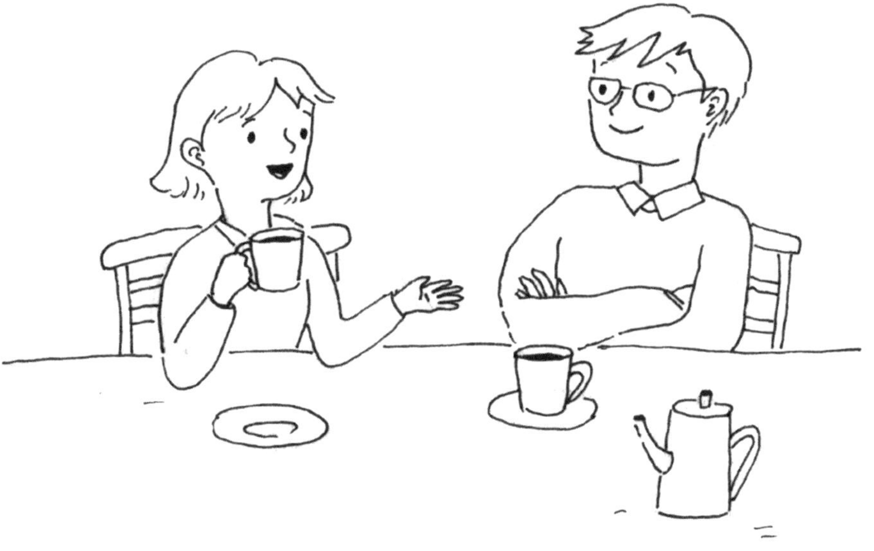

동생과 나는
과일을 먹어요.

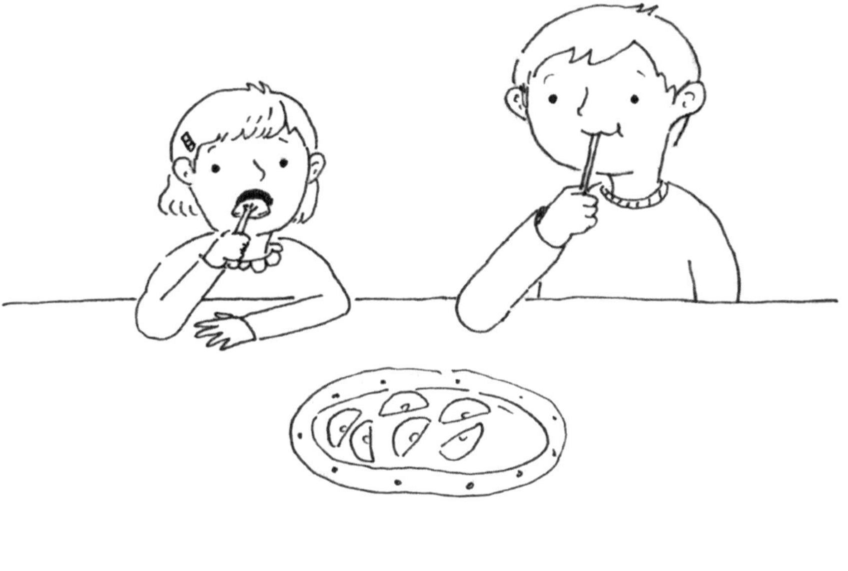

멍멍이가 나를
쳐다보네요.

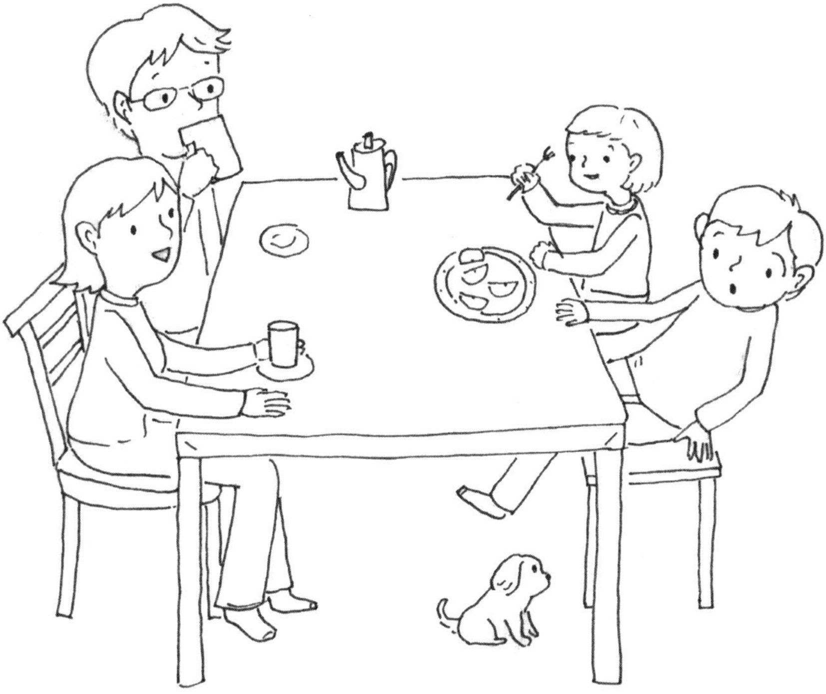

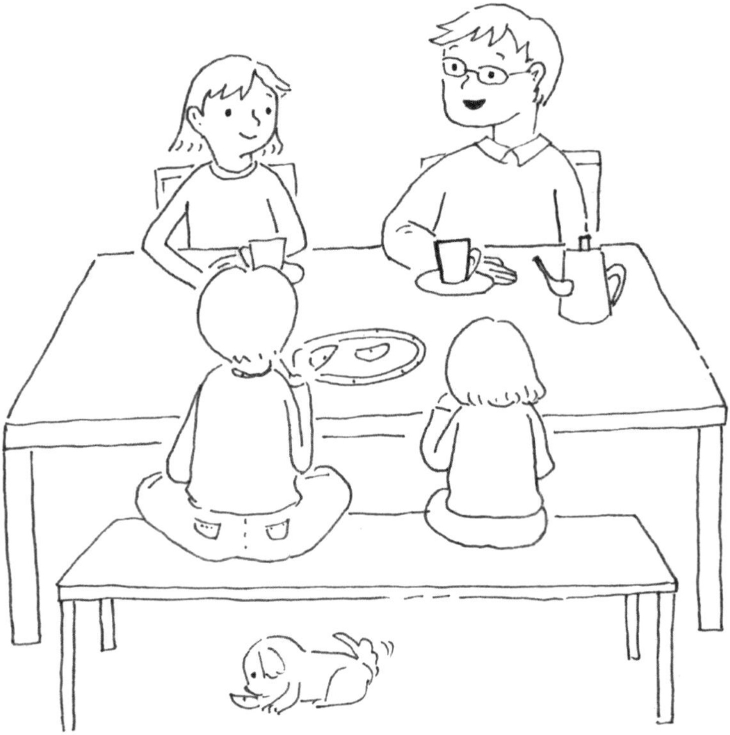

나는 사과 한 쪽을
떨어뜨렸어요.